Härtling · Brief an meine Kinder

Peter Härtling

Brief an meine Kinder

RadiusBibliothek

RadiusBibliothek
Herausgegeben von Wolfgang Erk

CIP-Kurztitelaufnahme der Deutschen Bibliothek

Härtling, Peter:
Brief an meine Kinder / Peter Härtling. –
Stuttgart: Radius-Verlag, 1986.
(Radius-Bibliothek)
ISBN 3-87173-722-4

ISBN 3-87173-722-4
© 1986 by RADIUS-Verlag GmbH, Stuttgart
Einbandgestaltung: Gabriele Burde
Gesamtherstellung: Clausen & Bosse, Leck
Printed in Germany

»Die Welt würde besser aussehen, wenn wir unserem Freund und unserer Freundin, wenn wir unserer Frau und unserem Mann und unseren Kindern ihre Geschichten gestatten würden und unserem kranken Nachbarn auch.«

Peter Bichsel

24. 10. 85

Ich bin mir nicht sicher, ob ich diesen Brief an Euch je abschicken, ob ich ihn zu Ende bringen werde. Vielleicht wird er Notiz bleiben, wie vieles andere, das ich während solcher Reisen in Hotelzimmern schreibe – zu aufgekratzt, um mich hinzulegen und zu schlafen, zu müde, um mich konzentrieren zu können.

Es ist zwei Uhr morgens. Ich habe ein verrücktes Vorlese-Marathon hinter mir, vor dem ich mich schon seit Tagen fürchtete. Nun fühle ich mich ausgewrungen und zugleich hellwach. Um 20 Uhr las ich in Rottenburg aus dem »Felix Guttmann«, um 23 Uhr hier in Tübingen (im Zimmertheater) die »Ottla«. Die Gespräche danach, vor allem mit jüngeren Zuhörern, erinnerten mich an Diskussionen auf Fabians Fest. Dieser Austausch von wütenden Hilflosigkeiten. Immer wieder zwinge ich mich, nüchtern zu bleiben, ruhig. Das hält nicht vor, hilft mir nicht viel. Eure Empörung und Eure Resignation sind stärker. Ich könnte mich gegen sie nur mit Zynismus wappnen. Dazu bin ich nicht imstande. Ich teile sie mit Euch. Sie haben sich über die Jahre allmählich angestaut. Damals – es sind

schon wieder fünf Jahre her – habe ich sie mit
Euch an der Startbahn West erfahren. Und seither haben wir nicht aufgehört, miteinander zu
reden. Wenn wir uns in unseren Alltäglichkeiten
zu verlieren drohen, seid Ihr es, die das Schweigen brechen.

Wie soll ich anfangen? Ich weiß es noch nicht.
Hingegen weiß ich, wo ich anknüpfen kann. Bei
dieser Geschichte vom Klauen. Sie beschäftigte
Euch nicht besonders. Ihr lachtet, machtet Euch
lustig über Mechthilds und meine »moralischen«
Einwände. Das sei typisch für die Eltern. Doch
eben noch hattet Ihr Euch über andere »typische
Eltern« unglaublich sarkastisch ausgelassen. L.
hatte irgendein Werkzeug von seinem Arbeits-
platz mitgehen lassen. Er habe es dringend gebraucht. Aber das sei gestohlen, warf ich ein, er
könne doch nicht so einfach – weiter kam ich
nicht. Euer übermütiges Gelächter unterbrach
mich. Gestohlen! Das kann schon sein. Doch
stehle und betrüge denn nicht jeder, vor allem
die, die nicht müde würden, den Leuten Moral
zu predigen, unsere gewählten Politiker? Sie ließen sich Geld zustecken, und das werde nicht,
wie es sich gehöre, versteuert. Sie ließen sich be-
zahlen, redeten nach dem Mund der Geldgeber
und maßten sich an, unsere Sache zu vertreten.
Die Sache von Leuten, die keine Beziehungen
haben, denen nichts geschenkt wird, die malo-
chen müssen wie die Blöden oder keine Arbeit
finden, die auf jeden Fall ihre Steuern zahlen und

keine Ahnung haben von Geldwaschanlagen und ähnlichen phantastischen Einrichtungen. Nein, sagte ich, dann ginge alles drauf, wofür ich schreibe, lebe.

Draußen vorm Fenster ist es stockdunkel.

Nachdem ich die Geschichte von Ottla vorgelesen hatte, von Kafkas Schwester, die in Auschwitz umgebracht wurde, fragte eine Studentin, ob ich einen Kerl wie den Woyta, den KZ-Wächter, den ich erfunden hätte, mir im Publikum dieses Abends vorstellen könnte. Sie fragte es nicht vor allen, sondern erst, als die meisten gegangen waren. Wir standen an der Theke, sie sprach hastig und leise. Und sie verwirrte mich mit ihrer Frage. Ich konnte ihr keine ausreichende Antwort geben. Ich weiß es nicht, sagte ich. Wenn Sie sich überlegen, daß in diesem Augenblick in den Gefängnissen und Kerkern ungezählter Länder Menschen gequält, gefoltert und sadistisch in den Tod getrieben werden, bleibt Ihnen nur der entsetzliche Schluß: Offenbar nutzen Menschen, sobald sie in irgendeiner Form Macht bekommen und die Uniform sie ausweist, die Gelegenheit, ihre Aggressionen, ihre Sprachlosigkeiten, ihren ungenauen Haß handgreiflich loszuwerden. Wir redeten nicht weiter.

Es ist nach drei. Ich wünschte mir, Ihr wäret hier. Ihr würdet, laut und ungebärdig wie Ihr seid, die Hotelruhe stören.

Ich schreibe im Zug weiter, staune über mich selber. Dazu fehlt mir sonst die Ruhe. Lieber schaue ich aus dem Fenster, lese. Bald bin ich zu Hause, bei Euch. Ich freue mich. Und doch fürchte ich mich auch vor der Post, den Anrufen.

Wahrscheinlich drängt es mich, den Brief an Euch fortzusetzen, weil mich zwei Begegnungen beschäftigen, die ich heute vormittag in Tübingen hatte.

Beim Frühstück im »Hospiz« leistete mir ein junger Mann Gesellschaft. Nach der Lesung im Zimmertheater hatte er mich angesprochen, gefragt, ob er mir Gedichte zeigen oder schicken könne. Er brauche Rat. Ich lud ihn ein. Im nachhinein bereue ich es und auch wieder nicht. Immerhin hat er mich mit Ansichten überrascht, die mir zwar nicht neu sind, auf die ich aber überhaupt nicht gefaßt war. Die mich nun quälen und beunruhigen.

Die wenigen Gedichte, die er mir zu lesen gab, waren eher Sinnsprüche und erinnerten mich in ihrem heroischen Nihilismus an Ernst Jünger. Ich traute mich nicht, diese Vermutung auszusprechen, wollte es, offengestanden, auch nicht wahrhaben.

Der Student half mir aus der mißlichen Grübelei. Er lese in letzter Zeit fast nur noch Jünger, das mit großer Bewunderung. Das werde mir beim Lesen seiner Gedichte sicher nicht entgangen sein. Nein, antwortete ich erleichtert, sicher nicht, nur frage ich mich, wie jemand in Ihrem Alter gerade Ernst Jünger zu seinem literarischen Vorbild wählen kann.

Ob das vom Alter abhängig sei? fragte er zurück und wies mich zugleich zurecht.

Was habe ich nicht alles in seinem Alter gelesen, voller Neugier, querbeet? Unter anderem auch Jünger, die »Strahlungen« oder »Heliopolis«. Ich wehrte mich, wenn mir die Ideen und Ansichten in Büchern nicht paßten. Sie halfen mir, mich zu entdecken. Wie kam ich dazu, meinem Frühstücksgast solche Neugier abzusprechen. Allerdings hatte er, wie sich bald herausstellte, Jünger anders gelesen als ich. Aus einer mir unbegreiflichen Distanz. Ich vergesse immer wieder, daß Ihr ja Friedenskinder seid. Daß Jüngers Kriegsbeschreibungen in den Tagebüchern, in den »Stahlgewittern« Haltungen und Einsichten vermitteln, die nicht mehr unmittelbar wirken können, sondern sich in ihrer Ferne zu Ideen verfestigen.

Der Student argumentierte vorsichtig, wohl um mich nicht zu verletzen, nahm meine Einwände freundlich zur Kenntnis, ging jedoch nicht auf sie ein. Er war »zu«, wie Ihr das nennt: einer geistigen Droge verfallen. Der Schluß meiner Ottla-Geschichte habe ihn beeindruckt, die Schilderung von Selbstjustiz an einem KZ-Wächter, das Abhandensein von Sentimentalität und falscher Moral. Aber nein! entgegnete ich, Sie mißverstehen mich. Der Erzähler setzt den erfundenen Schergen dieser seelischen Folter doch nur aus, weil er an dem Rechtsempfinden und der Moral der Nachkriegsgesellschaft zweifelt.

Moral – er sprach das Wort widerwillig aus, als hinterlasse es in seinem Mund einen schlechten Nachgeschmack –, aus lauter Moral seien wir handlungsunfähig geworden, unseren Gedanken fehle es an Klarheit, Zielstrebigkeit. Die Friedensbewegung, zu der ich mich doch wohl auch zähle, habe zum Beispiel nur eine Moral: alle diejenigen, denen diese Parolen zu platt erschienen, zu verunglimpfen. Er gehe Pazifisten im allgemeinen aus dem Weg. Sie störten einen Frieden – und ich wollte doch nicht bestreiten, daß wir in Frieden leben –, der allein durch das militärische Gleichgewicht der Blöcke aufrechtgehalten werde und nicht durch den Friedenswillen der Völker und der Politiker. Ein Schriftsteller wie Jünger habe diese Widersprüche stets ernst genommen, das »Potential der vorhandenen Aggressionen« (so sagte er) erkannt und gerade deshalb den Typ des Kämpfers kultiviert. Er habe beim Bund gedient, wenn auch nicht sonderlich zufrieden über den Zustand des Heeres. Er sei Leutnant der Reserve.

Und er halte sich für einen Kämpfer, für einen Soldaten? fragte ich.

Etwas verlegen, doch keineswegs unsicher, erwiderte er: Das doch nicht. Ich wünschte, ich könnte es von mir behaupten.

Dann fürchten Sie den Krieg auch nicht so wie ich? Er schien mit meiner Frage gerechnet zu haben, schaute mir freundlich und hartnäckig in die Augen. Als er antwortete, fühlte ich eine Art kühler Anmaßung.

Merken Sie denn nicht, wie dieser lange und vielleicht doch unwahre Frieden die Menschen schlaff werden läßt, wie der übertriebene Wohlstand sie bequem macht und ihrem Leben den Sinn nimmt. Wie die Ethik, von der Sie ja anders denken als ich, vor die Hunde geht?

Und dann folgten zwei Sätze, die ich mir einprägte und sofort aufschrieb, nachdem er sich verabschiedet hatte: Wir wissen nicht, ob der nächste Krieg das Leben auf der Erde ganz oder zu großen Teilen auslöscht. Es wird vermutet. Ein Krieg, in dem die Art überlebte, würde der Entwicklung der Menschheit nützen. (Ich bin mir nicht mehr sicher, ob er »würde« oder »könnte« sagte.)

»Die Art«! Wahrscheinlich hättet Ihr gar nicht gleich begriffen, was er meinte. Solche Wörter sind Euch nicht geläufig. Mir jedoch tat es weh. Da gibt es also auch unter den Jungen wieder welche, die den Krieg zum arterhaltenden Prüfstand machen wollen.

Wer verführt sie?

Ich nehme – Ihr würdet mir jetzt ins Wort fallen – Ernst Jünger gegen seine Bewunderer in Schutz. Unbezweifelbar hat der Student hingebungsvoll in Jüngers Büchern gelesen, doch er hat ihn nach seinem Verständnis interpretiert. Das Gespräch abschließend, fragte ich ihn: Sie wußten doch, daß ich anders denke als Sie, daß ich Ihnen zwar zuhören, Ihnen aber nicht zustimmen würde. Daß mir auch Ihre Arbeiten fremd sein werden. Wieso haben Sie darauf bestanden, sich mit mir zu treffen und zu unterhalten? Wir hatten uns schon erhoben, als er sagte: Ich mag einige Ihrer Bücher, den »Niembsch«, den »Hölderlin«, die »Ottla«. Und Sie haben Charakter. Er nahm sein Manuskript, drückte mir die Hand, ließ mich nach dieser wiederum »anmaßenden« Versicherung stehen wie einen begossenen Pudel.

Ich möchte diese Begegnung nicht weiter kommentieren.

Der Zug hat Mannheim passiert, ich bin bald da. Von meiner zweiten Begegnung war noch nicht einmal andeutungsweise die Rede. Es macht mir Spaß, in solchen Sprüngen zu erzählen.

28. 10. 85

Ich sitze an meinem Schreibtisch und sollte eigentlich in Belgrad sein. Ich machte die Reise eines Bumerangs. Heute früh fuhr ich zum Flughafen. Die Maschine startete verspätet. Ich freute mich auf Städte, auf Landschaften, die ich noch nicht kenne, Belgrad, Zagreb, Sofia, las, nicht sonderlich konzentriert, die Zeitung, und als wir das Reiseziel erreicht hatten, begann das Flugzeug über einer grauen, dichten Wolkenbank zu kreisen. Die Zeit dehnte sich, mir wurde allmählich übel. Eure Freundin Andrea, die ich zu meinem Vergnügen als Stewardess wiedertraf, brachte mir einen Piccolo und klärte mich über die mißliche Situation auf. Der Nebel erlaube es nicht, in Belgrad zu landen, die Maschine werde noch eine halbe Stunde warten und dann nach Frankfurt zurückfliegen, nicht, wie ich und andere Passagiere hofften, in Graz oder Klagenfurt landen. Der Heimflug strengte mich dann sehr an. Mein Kreislauf machte mir zu schaffen, das Herz drückte sich schmerzend gegen den Brustkorb.

Nun habe ich eine Woche Zeit. Zeit, die vergangene Zeit einzuholen.

Sonderbar, wie entfernt mir die Frühstücksszene im »Hospiz« vorkommt, fast wie erfunden. Als sei ich genötigt worden, in einem Stück mitzuspielen, dessen Text mir widerstrebt.

Ich schreibe mich nur um ein paar Tage zurück und denke doch schon: damals. Nach der Unterhaltung mit dem Jungen floh ich geradezu aus dem Hotel, spazierte durch die Stadt und zum Bahnhof, um vorsorglich die Fahrkarte zu kaufen. Es war sonnig. Ich blieb an Schaufenstern stehen, ohne hineinzuschauen, war darauf aus, mir die Unterhaltung mit dem Studenten aus dem Gedächtnis zu treiben. Ich schaffte es nicht. Dennoch vergaß ich sie ein paar Minuten danach. Ein guter Geist half, sprang mir über den Weg in Gestalt eines Freundes. Ihr kennt und mögt ihn auch.

Ich schlenderte durch die Anlagen vorm Bahnhof, da wanderte er mir entgegen. Es trifft zu: Er wanderte. Schwer, massig und dennoch leichtfüßig.

Der Peter, rief er.

Der Peter, rief ich.

Sicher habt Ihr schon erraten, wem ich, den knirschenden Anfang des Tages vergessend, in die Arme lief: Peter Bichsel. Zwar hatte ich erfahren, daß er am selben Abend las wie ich, doch nun überrumpelte mich sein unerwartetes Auftauchen. Er nahm mich einfach mit. Er habe noch Zeit, bis sein Zug abfahre. Wir könnten in der Bahnhofswirtschaft ein Glas Wein trinken, ein wenig plaudern, sagte er, und wir tranken, redeten, setzten ein Gespräch fort, das wir irgendwann einmal oben in Bergen oder in Darmstadt abbrechen mußten, tauschten unsere Tübinger Erfahrungen aus, er beklagte sich über sein Hotel, ich empfahl ihm fürs nächste Mal das »Hospiz«. Wir kamen, ich weiß nicht wie, auf Bücher, die wir eben lasen. Er schwärmte dieses Mal nicht, wie sonst, von Jean Paul, sondern von einem Italiener, Ennio Flaiano, der für Fellini Drehbücher geschrieben und dessen einziger Roman »Alles hat seine Zeit« ihn die letzten Tage beschäftigt habe, behelligt, fügte er hinzu, und ich verstand es so wie: beleidigt. Er redete über das Buch, als habe es in sein Leben eingegriffen. Und er machte mich neugierig. Ich fragte ihn aus über den mir ganz und gar unbekannten Autor. Wovon der Roman handle. Er erwiderte stokkend und unwillig, als müsse er ein Geheimnis preisgeben. Dann –

Es fällt mir schwer, dies zu erzählen. Ihr müßtet es als Szene sehen. Es geschah etwas, das mit Peter Bichsel zu tun hat, seiner Herzlichkeit, seiner immer regen Spiellaune und seiner Lust, andere zu überraschen und damit zu beschenken.

Er stand auf, erklärte, rasch zum Schließfach zu müssen und kehrte nach einer Weile, ein Manesse-Bändchen in der Hand, zurück. Da hast du den Flaiano, sagte er, schob das Buch über den Tisch, so daß es zum Aufschlagen bereit vor mir lag. Ich schenke es dir. Wer weiß, wann du dazu kommst, es dir zu kaufen. Nachher, auf der Reise, kannst du gleich anfangen. Ich hätte ihm um den Hals fallen sollen, wie ein beschenktes Kind am Geburtstag.

19. 3. 86

Nie hat mich zuvor die Ruhelosigkeit im Alleinsein so gequält, saß ich so bekümmert und erschöpft in Hotelzimmern, haben mich Nachrichten und Kommentare in Zeitungen so aufgebracht, las ich so viel elendes Mittelmaß, so viel plappernde Hilflosigkeit. Ich brauche Euch und Mechthild. Ich zitiere Euch in meine Nähe. Vielleicht hat es mit dem Älterwerden zu tun oder mit den verdammten Pillen, die ich täglich schlucken muß.

Wovon erzählte ich zuletzt? Ich ärgerte mich, Peter nicht herzlicher und direkter für sein Geschenk gedankt zu haben. Manchmal gelingt es mir, diese Sperren aus Erziehung und Befangenheit zu durchbrechen. Je älter ich werde, um so häufiger. Aber längst nicht genug. Daß ich überhaupt dazu fähig bin, verdanke ich Euch. Ich genieße es, Euch, wenn wir uns nach längerer Zeit wiedersehen, in den Armen zu halten, mich Eurer Gegenwart und Eurer Zuneigung ganz körperlich zu versichern.

Mir fällt ein, wie Fabian mich tröstete, als wir erfuhren, daß Heinrich Böll gestorben sei. Du warst zu Besuch, wahrscheinlich auf dem Weg zur Arbeit, das Telefon klingelte. Eh Du abnahmst, fragtest Du vorsorglich, ob ich überhaupt da sei. Nein, sagte ich, ich bin nicht da und vergnügte mich an dem abgekarteten Spiel. Ich hörte Dich reden. Nach einer Weile kamst Du in mein Zimmer. Es sei jemand vom WDR und wolle mich unbedingt sprechen. Außerdem möchte er die Telefonnummer von Grass. Das geht nicht, sagte ich. Es ist eine Geheimnummer. Sag ihm doch, hinter der Nummer stehe ausdrücklich vermerkt, daß sie nicht weitergegeben werden darf. Wieder hörte ich Dich reden, ziemlich erregt. Dann kamst Du zu mir. Ich saß am Schreibtisch. Du tratest hinter meinen Stuhl, sagtest eine Weile nichts. Plötzlich spürte ich Deine Hände ganz leicht auf meinen Schultern. Ich habe dem doch die Telefonnummer gegeben, sagtest Du. Weißt Du, Papa, Heinrich Böll ist gestorben. Du bliebst wortlos hinter mir stehen, streicheltest meine Schultern, meinen Nacken. Du reagiertest und teiltest mir mit Deinen Händen mit: Ich versteh deine Trauer. Ich weiß ja, du hast ihn gemocht, ich auch. Nur ist das keine so lange Geschichte wie bei dir. Dann faßtest Du in einem Satz Deine Erinnerung zusammen und wolltest mich mit ihm trösten: Der »Clown«, sagtest Du, war mal mein Lieblingsbuch. War, sagtest Du, nicht ist. Ich weiß, es war in diesem Augenblick kindisch von mir, dieses Ist zu wünschen. Du verhieltest Dich unbefangener und ehrlicher, machtest mir und Dir nichts vor. Fast alle Bücher, die wir lieben, werden im Laufe unserer Lesezeit von einem anderen verdrängt. Nachdem Du gegangen warst, sagte ich mir: Der Autor des »Clowns« hätte vermutlich mehr Verständnis für Dich gezeigt als ich.

28. 10. 85

Schreib mir etwas in das Buch, bat ich. Peter hatte es auf einmal eilig. Nicht weil der Zug gleich abfuhr. Er wollte mich seinem Geschenk überlassen. Dem Zauber, den er ihm beimaß. Beinahe unwillig schlug er das Buch auf, dachte kaum nach, schrieb: »Lieber Peter, ich mag (auch) was Du liest – «. Die Widmung, lakonisch und listig, flößte mir die Vorstellung ein, wir würden, für die Gäste der Bahnhofswirtschaft unsichtbar, ganze Bibliotheken austauschen.

Auf der Heimfahrt begann ich, Flaianos Roman zu lesen. Seite nach Seite fragte ich mich dringlicher, weshalb Peter mir gerade dieses Buch empfohlen hatte. Ob er womöglich über telepathische Fähigkeiten verfügte und mit dieser grandiosen, wüsten, ausweglosen Geschichte mein Gespräch mit dem Studenten kommentieren wollte.

Flaiano erzählt von einem italienischen Offizier im abessinischen Krieg. Er trifft auf eine schöne Eingeborene, liebt und fürchtet sie gleichzeitig, ohne sich die Mühe zu geben, ihre Sprachlosigkeit aufzubrechen. Als er auf ein wildes Tier schießt, prallt die Kugel vom Fels ab und verwundet die Frau. Er kann ihrem Schmerz nicht zusehen, tötet sie. Der Tat folgt ein Alptraum. Er versucht zu desertieren, stiehlt, mordet beinahe noch einmal, findet zu seiner Truppe zurück, ein Fatalist, ein nihilistischer Heroe, eine Marionette des eigenen Wahns. Ich habe mir Gedanken notiert, die der Leutnant dem Ich-Erzähler gegenüber äußert, Männergedanken über Angst: »Die Angst hat unendlich viele Abstufungen und kann klassifiziert werden. Da ist einmal die Angst, die einen ›vorher‹ packt, und es ist die Angst der Weisen und Vorsichtigen. Die Angst, die ›nachher‹ kommt, das ist die Angst der Mutigen. Und schließlich gibt es noch die Angst ›während‹, und das ist die Angst, die tötet (wie du richtig bemerkt hast) oder auch feige macht.«

Ähnliche soldatische Überlegungen ließen sich auch aus den »Stahlgewittern« oder den »Afrikanischen Spielen« Jüngers lesen. Ist es dieser in seiner Klassifizierung mir unheimliche Umgang mit der Angst, der den jungen Mann dazu bewog, in den Kategorien des Kampfes zu denken? Ist es seine Angst, die er derart »ordnet«?

7.11.85

Im Zug nach München. Ich habe meinen Brief längere Zeit nicht fortgeführt. Wir sahen uns öfter, konnten miteinander reden. Trennten wir uns, schrieb ich manchmal in Gedanken weiter an Euch.

Gestern las ich in Nürtingen. Kehrte heim in die Fremde. Die Landschaft, den Blick zur Alb, zum Hohenneuffen kann ich aufsagen wie ein in der Kindheit gelerntes Gedicht. (Für Euch war die Alb, ich weiß es, eher eine Zumutung: Regenspaziergänge rund um Erpfingen, warten auf Schnee – doch auch lange, heitere, die Zunge lösende Abende im »Hirsch« oder die Gänge über die Hochfläche gegen den Wind, der den Atem in die Lunge preßte. »Du mit deiner Alb ...«)

Jede Gasse in Nürtingen speichert Erinnerungen. Bis heute ungereimt. Die eines Halbwüchsigen, der sich an der engen Selbstsicherheit der Kleinstädter reibt, sich selber ausstößt und sich darüber wundert, daß er ausgestoßen wird. Ich stritt mit einigen Lehrern; politische Gegensätze wurden nie ausgesprochen, sondern nur in der Behandlung des Lehrstoffes deutlich. Da galt dann Borchert als Deserteur und Thomas Mann, den ich eben entdeckt hatte, als Verräter am eigenen Land, (»Vaterlandsverräter« scheuten sich die Herren noch zu sagen, da sie ihres Vaterlandes, von der Spruchkammer als Mitläufer eingestuft, nicht ganz sicher waren), als Salonkommunist.

Ich litt, widersetzte mich, bis es zum Eklat kam, ich den Lehrer, der unsere Klasse eineinhalb Jahre vor dem Abitur übernahm, fragte, ob es für mich nicht besser sei, die Schule zu verlassen, er mir dazu riet, ich aufstand, aus der Schule und über den Schulhof ging, stundenlang rund um die Stadt wanderte, mir überlegte, wie ich Großmutter und Tante meinen vorzeitigen Abschied beibringen könnte. Ein ausholender Schritt weiter in der Laufbahn eines Tunichtguts. Ihr kennt diese Geschichte.

Nie aber habe ich Euch erzählt, wie ich aufgefangen wurde, mir Freunde halfen, meine Gedanken zu ordnen, Tritt zu fassen. Einer von ihnen, Erich Rall, war jahrelang mein Klassenlehrer gewesen. Ihm verdankte ich die Kenntnis vieler Gedichte von Georg Heym, Georg Trakl, Rilke, George, Hölderlin. Er war ein liebender Leser und ein äußerst aufgeschlossener, fortschrittlicher Lehrer. In seinen politischen Ansichten konservativ. Ein Pessimist, der den Menschen wenig Lernfähigkeit zutraute und darum geradezu radikal auf den Ideen bestand, die er für unzerstört und unzerstörbar hielt und die, nach seiner Meinung, den Lauf der Geschichte bestimmten.

Meine Unruhe und Renitenz störten ihn nicht. Er verwies auf Hesse, der jung ein Ausbrecher und Nestflüchter und alt ein Morgenlandfahrer und Glasperlenspieler gewesen sei. Ich stimmte ihm nicht zu. Das sei ein Irrtum. Die Morgenlandfahrer träfen sich doch, um immer wieder gemeinsam ihrer Unrast nachzugeben.

Bis zu seinem Tod vor wenigen Jahren haben wir uns geschrieben. Mehr und mehr zog er sich mit seiner Frau nach Spanien zurück. In Madrid hatte er ein paar Jahre als junger Lehrer zugebracht. Die zerklüftete, von einem großen dramatischen Himmel überspannte Gegend an der Nordküste verdrängte die Alb aus seinem Blick. Seine Beunruhigung wuchs. In den letzten Briefen mußte ich mich nicht mehr vorsehen und auf seine Empfindlichkeit achten. Wir waren uns sehr nahe.

Meine beiden anderen Nürtinger »Helfer« (so nannte Hölderlin seinen Lehrer Köstlin) besuchte ich vorgestern und gestern. Verletzt und wachsam auch sie. Keine »Alten«.

Ich habe mich vergessen, nicht bemerkt, daß der Zug gleich in München ankommt. Wahrscheinlich werde ich in den beiden nächsten Tagen nicht schreiben können. Morgen fliege ich nach Berlin.

9. 11. 85

Warum begann ich, Euch von meinen drei Nothelfern zu erzählen? Ich erlebte eine andere Jugend, andere Anfänge. Vielleicht doch wegen dieser Anfänge, die ich im Rückblick als Fortsetzungen ansehe. Indirekt auch für Euch.

Ich kam in den ersten Wochen des Jahres 1946 mit nichts in Nürtingen an. Ich besaß nichts, brauchte so gut wie nichts. Meine Mutter ließ mich laufen, gab sich keine Mühe mehr, die Ideen, die mir aus dem Kopf geschlagen worden waren, als haltlos, gemein und mörderisch zu erklären, wie sie es anfangs getan hatte, und Hoffnung konnte sie mir nicht machen. Sie hatte alle Hoffnung aufgegeben. Nachdem sie Schlaftabletten genommen, ihr Körper sich drei Tage lang gegen das Gift gewehrt hatte, tauchte unerwartet und erst einmal unerwünscht ein Pfarrer, Martin Lörcher, auf. Er half mir, ihren Tod zu ertragen. Machte mir klar, ohne falschen Trost, daß Mutter für uns, Lore und mich, nie mehr da sein würde.

Später, bevor er mich konfirmierte, während des Unterrichts, zog ich mich aus seinem Schutz zurück, wies ihn ab. Er hatte, meinte ich, zu viel von mir erfahren. Jahre hörte ich so gut wie nichts von ihm. Vergessen konnte ich ihn nicht. Mir war inzwischen auch bewußt, weshalb: Nie ist mir ein Mensch begegnet, den die Frömmigkeit so wenig einschränkt, ihn vielmehr befreit. Ich stelle das im Präsenz fest, denn mein Eindruck verstärkte sich jetzt bei unserem Wiedersehen noch. Er provoziert mit seiner Friedfertigkeit. Aber, wider alle Erfahrung, ganz ohne Aggression, die ja in dem unseligen Begriff »Friedenskämpfer« steckt – tief verwundert über die Unfähigkeit der Menschen, friedlich miteinander umzugehen. Als kenne er ein Lösungswort. Er kennt es nicht, wie es sich in dem Gespräch am Abend offenbarte, nachdem ich in dem alten Fachwerkhaus, das er nun, im Ruhestand, mit seiner Frau bewohnt, für Kinder gelesen hatte. Er wütete nicht wie ich über eine Generation von Neinsagern, die bedenkenlos wieder Waffen bejaht, ihnen Zukunft anvertraut, Waffen, deren Wirkung wir uns nicht vorstellen können. Er hörte mir zu, in einer Art gelöster Verzweiflung, und seine Gelassenheit übertrug sich auf mich. Als ich gegangen war, fragte ich mich, ob ich nun an Camus' Sisyphus denken solle oder an den Mann am Kreuz, auf dessen unbeirrbare Gewißheit mein Helfer sich beruft und aus der er leben kann.

Warum bringen mich nach solchen Begegnungen die öffentlichen Nachrichten noch mehr auf? Warum bin ich noch sensibler gegen das Geschwätz der Politiker und ihrer Kommentatoren? Es ist, eine andere Erklärung kann ich nicht finden, ihr Mittelmaß. Ihre Individualität drückt sich allein aus in ihrer verschleierten Macht- und Besitzgier, in einer uniformen, ungenauen Sprache, in pathetischer Mutlosigkeit und in der Verwaltung eines Wissens, dem sie nicht einmal andeutungsweise gewachsen sind. Eine Horde von B-Schauspielern. Zu erbärmlich, um die Moral, der sie aufgeregt und ständig schlechten Gewissens das Wort reden, auszuhalten. Sie sind amoralisch bis ins Mark. Kleinlaut bis zur Schamlosigkeit. Ein deutscher Kanzler etwa, der Israel besucht und, um unserer Vergangenheit zu entgehen, sich hinter seiner Flakhelfernaivität verschanzt; der, werden Antisemiten in seinen Reihen laut, ihnen nicht erbittert das Wort verbietet, nicht unsere Geschichte erzählt, sondern sie allenfalls lax und verständnisvoll zurechtweist.

Die Einstellung der Konservativen zu den Juden ist ohnedies zwiespältig, verdrängt viel; zum einen förderte Axel Springer den Staat Israel, zum andern wüßte ich keine Zeitungen in der Bundesrepublik, die sich so zweideutig mit der Nazizeit und ihren Größen befassen wie die seinen.

(Nachtrag vom 25.3.86: Eben porträtierte Herr von Studtnitz den SS-General Wolf in der »Welt am Sonntag« als einen Kavalier mit kleinen Makeln.)

Ich begreife Euern Widerwillen gegen die Parteien. Sie betreiben keine Politik, die Euch anregen, mitreißen könnte, die Euch Eure Situation erklärte. Es gibt nicht einmal Ansätze von Visionen, Entwürfen oder wenigstens Resümees. Tag für Tag könnt Ihr sie im Fernsehen beobachten, die raffgierigen Schlaumeier, vollmundigen Leisetreter, die ungebildeten Klugscheißer. Vorbilder –?

Berlin, 10.11.85

Mir bleibt nicht viel Zeit. In der Mitgliederversammlung der Akademie ereiferten wir uns über Fassbinders bisher nicht aufgeführtes Stück um den »Reichen Juden«. Das ist für sich schon eine antisemitische Festlegung. Gleichwohl plädierte ich für die Aufführung. (Bernhard Minetti sah die nichtöffentliche Generalprobe, also die Nicht-Aufführung, und schlug vor, alle Mitglieder, die bereit wären, sich das Stück anzuschauen, sollten sich in Frankfurt anmelden. Eine organisierte Reise also zu einer Aufführung, die keine sein darf, eine geschlossene Gesellschaft, die sich in einer geschlossenen Vorstellung über ein Tabu informiert.)

Ihr hattet recht, als Ihr erstaunt fragtet, wie überhaupt eine solche Erregung aufkommen könne. Man könne doch erst urteilen, wenn man das Stück gesehen habe. Ja. Dieser Meinung bin ich auch gewesen. Nun fürchte ich, die durch Juden verhinderte Premiere wird erst recht die bisher sich versteckt und verdeckt haltenden Antisemiten auf den Plan rufen. Jetzt seht Ihr, wieviel Macht die Juden *schon wieder* haben ...

Es ist die alte Geschichte, unsere, die in Verlogenheiten steckenblieb und durch Verdrängungen entstellt wurde. Auf einmal werden die Juden sichtbar. So sind die! Das erlauben die sich!

Immer wieder ist mir in diesen Tagen Alexander Besser eingefallen, Euer und mein Freund. Wie hätte er, der seinen Verfolgern von einst vieles nachsah, wie hätte er sich verhalten? Hätte er sich eingemischt, zum ersten Mal in seinem Leben demonstriert? Da ihm Zensur in jeglicher Form zuwider war, hätte er sich wohl eher eine Karte für die Premiere verschafft und sich zu jenen geschlagen, die hofften, daß sich das Spiel um den »Reichen Juden« in seiner Plattheit und Roheit von selbst aus dem Spielplan werfe.

Auch Besser war einer meiner Helfer. Ich habe ihn großzügig genannt. Er war es. In seiner konservativen Anschauung ertrug er vieles, das mich aufbrachte. Die Depolitisierung während der Adenauer-Zeit kam ihm eher zupaß. So mußte er nicht offen Partei ergreifen. Er nahm hin, daß Globke, Oberländer, Vialon – Komplizen Hitlers – in der noch jungen und labilen Demokratie Macht ausübten. Er beobachtete. Und so hielt er Dutschke, Dani Cohn-Bendit, die 68-er auch nicht für irregeleitete, mißratene Kinder, wie viele Konservative, sondern verfolgte ihren Aufruhr, ihre schleichende Niederlage mit beinahe sympathisierender Aufmerksamkeit.

Versöhnlich war er nicht. Eher leger. Er traute dem Land, das ihn verfolgt und vertrieben hatte, in das er neugierig und wachsam und aus Heimweh zurückgekehrt war, nur bedingt. Seine Anfälligkeit für radikale Parolen blieb ihm unheimlich. Er ahnte, daß die Rechte nur stillhielt; hoffte allerdings, daß sie nie mehr genügend Überzeugungskraft aufbringe, um Massen zu formieren. Er war kein Pazifist wie ich. Aber auch kein Idealist. Die waren ihm suspekt nach dem braunen Ausverkauf der Ideale. Er war aus Verstand und Seele ein Moralist und würde sich wundern, mit welcher Herablassung heute, im Zeichen der allgemeinen öffentlichen Amoral, Moralisten abgekanzelt werden. Da es den Kern seiner Existenz träfe, würde er sich wütend dagegen zur Wehr setzen.

Auf meinen dritten Helfer in Nürtingen, Fritz Ruoff, bin ich noch immer nicht zu sprechen gekommen. Der Tag wirft mir zu viele Stichworte in meinen Brief. Wenn ich jetzt nicht schließe, verpasse ich das Flugzeug, und Fabian wartet vergeblich auf dem Flughafen. Ich freue mich auf Euch.

12. 11. 85

Ich arbeite an der Dankrede für den Preis, den ich in Tübingen in Empfang nehmen soll (siehe »Beilage«). Der Text macht mir Mühe. Es ist verrückt: Ich schreibe gegen den Widerstand einer Zuhörerschaft, die ich mir ausmale, die ich noch nicht kenne. Da den Preis eine »Stiftung zur Förderung der geistigen und künstlerischen Arbeit« vergibt, die von der Württembergischen Hypothekenbank eingerichtet wurde und vom Land Baden-Württemberg gefördert wird, nehme ich an, daß vor allem Honoratioren im Publikum sitzen werden. Meine Vorstellung von den Widersprüchen, in die sich unsere Zeit verwickelt hat und aus der sie wahrscheinlich nur eine Katastrophe befreien kann, wird sie, fürchte ich, zum Widerspruch herausfordern. Immerhin begleitet mich Mechthild, und ich werde nicht allein sein. Ich wünschte mir, Ihr wäret auch dabei. Doch ich verstehe Eure Abneigung gegen derartige Feierlichkeiten und den Vater als »Festochsen«.

In Berlin erschrak ich, als während der Debatte über das Faßbinder-Stück eines der Mitglieder völlig unreflektiert das Begriffs-Doppel Frieden/Freiheit gebrauchte. Wie haben wir uns darüber schon ereifert. Natürlich gibt es nichts Erstrebenswerteres als die Freiheit im Frieden. Aber wie wird, auch in unserer Demokratie, Freiheit denn verstanden? Sie ist ein durch die Verfassung garantierter, jedoch durch die jeweils herrschenden politischen Tendenzen umschriebener Spielraum. Je kleinmütiger, machtbewußter, anfechtbarer Politiker auftreten, um so nachdrücklicher werden sie darauf bedacht sein, die Freiheiten vor allem ihrer Gegner einzuschränken. Dies stets mit dem Hinweis, daß »die Freiheit« garantiert sei. So wird Freiheit häufig nach Einfluß und Machtverhältnissen definiert. Wenn Ronald Reagan zu Recht feststellt, den Afghanen sei die Freiheit genommen worden, spricht er gleichzeitig dem amerikanischen Nachbarn Nicaragua die Fähigkeit zur Freiheit ab, bemüht sich, ihm Freiheit nach seiner Vorstellung aufzuzwingen.

Freiheit beschwören meistens die, die sich Freiheiten nehmen. Von wem? In welchem Auftrag? Nichts kann Mächtige noch mächtiger machen als ihr Umgang mit Freiheit. Waren auch die frei, die in Marschkolonnen für ihren Führer Adolf Hitler sangen: »Freiheit das Ziel, Sieg das Panier, Führer befiehl, wir folgen dir«? Diese Freiheit, die einer meinte, wurde von einer überwiegenden Mehrheit auch als solche akzeptiert. Die Störrischen, die Gegner erfuhren das mörderische und eiskalt kalkulierte Gegenteil.

Mir imponiert Euer Verständnis von Freiheit. Es hat aber, denke ich, einen Mangel. Seine Erinnerungslosigkeit. Ihr seid, wie es heißt, »frei geboren«, und Ihr nehmt Euch, wie die Verwalter unserer Freiheit manchmal mürrisch feststellen, »eine Menge heraus«. Das kann den Umgang mit Euch schwierig werden lassen, denn nicht immer haltet Ihr Euch an die Regeln, die die »Freiheit des Andersdenkenden« garantieren. Ihr reizt Eure Freiheit aus. Doch wer auf Grenzen stößt, gegen Wände rennt, ermüdet, findet sich ab. Und ich habe den Eindruck, daß Eure für uns so nötige (ich weiß, ich argumentiere egoistisch) Unruhe nachläßt: Ihr habt ein paar Mal Eure Ohnmacht spüren müssen, und nun gebt Ihr nach, paßt Euch an. Die Ordentlichen brauchen nicht so viel Freiheit (aber sie schränken die der Unordentlichen ein, wenn sie sich gestört sehen).

Und der Frieden? Wir taugen nicht für ihn, wir können ihn nicht lernen. Wahrscheinlich ist der Mensch von Grund auf aggressiv, ein räuberisches Wesen. Hat er, will er mehr. Schwäche gehört nicht zu seinen Denkkategorien. Bescheidung erst recht nicht. Zwischen 1945 und 1949 hörte ich Männer schwören: Nie wieder. Ich glaubte ihnen. Mir hat der Krieg meine Eltern genommen. Ich nahm ihnen ihre Vorsätze ab, weil der Krieg ihnen eine Lehre erteilt hatte. Ich täuschte mich. Nicht wenige von denen, die damals allem Kriegerischen abschworen, meiden mich heute als einen Pazifisten.

Längst haben sich alte und neue Feindbilder wieder eingestellt. Ohne sie kommen wir einfach nicht aus: die Roten; die Schwarzen; die Amis; die Türken; die Russen; die Juden; die Muslims; die Protestanten; die Katholiken. Mauern und Fronten ziehen sich durch die Köpfe und muten der Vernunft zu, parteiisch zu sein. Womit sie auf der Strecke bleibt. Jeder weiß, daß die Waffen, die findige Wissenschaftler entwickeln, atomare und chemische Waffen, werden sie angewendet, das Ende allen Lebens bedeuten. Niemand jedoch ist willens abzurüsten. Es wird beteuert, verhandelt – nicht eine Rakete wird zurückgezogen, nicht eine Stellung aufgegeben. Die Waffen werden vervollkommnet, in den Weltraum verlagert.

2.4.86

(Ein Zwischenruf. Wie irrational die führenden Politiker sich in dieser hochbrisanten Lage verhalten, beweist das Gerangel Präsident Reagans mit Ghaddafi an der Großen Syrthe, an der »Todeslinie«. Der mächtige Mann legte es darauf an, legte schon mal probeweise Feuer an die Lunte, und der, den er für wahnsinnig hält, der Libyer, gab nach ... Unsere Furcht wird angesichts solcher Handlungsweisen nichtig. Uns bleiben nur hilflose Flüche, Unterschriften unter Aufrufe, Aktionen wie Blockaden, Demonstrationen. Und die werden wenig ausrichten gegen eine Rotte von Fachidioten, die meint, Herr über solche Waffen zu sein und, wenn's ganz brenzlig wird, in atomsicheren Bunkern davonzukommen. Selbst dann noch wird in den letzten Kommentaren ihrer intellektuellen Helfershelfer stehen, sie hätten klug und besonnen gehandelt, es habe eben keinen Ausweg mehr gegeben.

Wir hören nicht mehr aufeinander. Wir reden kaum mehr miteinander. Wir weisen unsere Bedeutung durch Automodelle und Geheimkonten aus. Wir sind auf den Status von Kampffischen heruntergekommen, die man in getrennten Aquarien halten muß. Bloß ist die Welt nur *ein* Aquarium.)

Ihr habt beide, Fabian und Clemens, den Kriegsdienst verweigert. Dazu habe ich Euch nicht überreden müssen. Es kann sein, sage ich mir, daß unser gemeinsames Leben Euch dazu bewogen hat. Nun werdet Ihr ähnliche Erfahrungen sammeln wie ich. Die Vertreter der Öffentlichkeit, die den Frieden auf den Lippen führen, neigen dazu, jene, die aus Überzeugung friedfertig leben, lächerlich zu machen, zu verunglimpfen und, wenn es zur Nagelprobe kommt, zu verfolgen. Denn der, der sich nicht als wehrtüchtig erweist, kann nichts anderes als ein Schwächling sein. Ihn darf man, kommt er einem zu nah, treten. (Ist das nicht der Fall, beginnen sich die Friedfertigen, in die Enge gedrängt, zu wehren; werden sie dazu noch aggressiv, lassen sich die Gegenschläge des Staates endlich legalisieren. Und die Erleichterung ist groß.)

Ihr habt nie begreifen können, was ich mit der Kirche am Hut habe. Und ich wiederum habe mir nie große Mühe gegeben, Euch zu überzeugen. Das habe ich auch mit diesem Brief nicht vor. Eine Gestalt wie Jesus jedoch provoziert mich und hilft mir. An ihr kann ich mich prüfen. Nichts stärkt mich in meiner immer angefochtenen Ausdauer mehr, als wenn christliche Politiker beteuern, die Bergpredigt könne für uns Zeitgenossen und unser modernes Staatswesen nicht verbindlich sein. Genauso gehen sie mit dem Frieden um. Wenn es nötig wird, denken sie nicht daran, eine Backe hinzuhalten; sie schlagen lieber beide Backen ihres Gegenüber.

18.11.85

Im Zug. Auf der Fahrt nach Essen. Der Festakt in Tübingen, vor dem ich mich fürchtete, ist vorbei. Es war kein »Akt«, wie Ihr mir belustigt prophezeitet, sondern ein freundliches Fest. Meine Rede wurde nachdenklich, etwas erschrocken aufgenommen. Sicher hatte man Feierliches erwartet. Die Widerreden, auf die ich gefaßt war, blieben aus. Vielleicht nur deshalb, weil sie unschicklich gewesen wären.

Ich bin Euch noch die Auskunft schuldig, wieso ich Fritz Ruoff als einen meiner Helfer verstehe. Ihr kennt ihn. In Eurer Vorstellung, denke ich mir, existiert er als leiser, zurückhaltender Mann, der, hochgewachsen, sich ein wenig schwerfällig und vorsichtig bewegt. Viele seiner Bilder hängen in unserem Haus; Friederike hat eine Zeitlang mit Hildegard Ruoff Briefe gewechselt. Ich schreibe das alles zögernd. Denn auf Kinder wirken die Freunde der Eltern oft wie Zeugen eines zurückliegenden, unbekannten und deshalb auch unwirklichen Lebensabschnittes. Daß wir einmal jung waren, kommt Euch kurios vor. Alte Photographien bringen Euch zum Lachen.

Fritz Ruoff ist genauso alt wie mein Vater. Als ich ihn 1948 kennenlernte, war er 42 Jahre alt, ich 15. Es bleibt mir rätselhaft, wie er und Hildegard es dennoch schafften, mir von der ersten Stunde an das Gefühl zu geben, Freund zu sein. Kein zugelaufener, lernbegieriger Junge, der einen Ersatzvater sucht. Ruoff nahm mich ernst. Selbst wenn meine Fragen ihn langweilten oder verdrossen, beantwortete er sie mit großer Geduld. Heute weiß ich, was ich ihm verdanke. Nicht nur den Blick für Bilder und Plastiken, den selbstverständlichen Umgang mit Kunst,

37

nicht nur den Respekt vor den Ideen und der Phantasie anderer, auch wenn sie sich mir nicht gleich erschließen, sondern – und das vor allem – das Geschenk einer besseren Geschichte. Er war der erste Erwachsene, dem ich nicht mißtraute, da er mir seine Vergangenheit anvertraute. Er brauchte nicht zu schweigen, mußte nicht verdrängen und mich mit Halbwahrheiten oder Lügen abfinden. Ich bekam keine Heldengeschichte zu hören. Nichts Tolles, nichts Verwegenes. Es waren schmucklose Mitteilungen über Geduld, Renitenz, Anhänglichkeit, Demütigung, Angst, Hoffnung, Freundschaft, Arbeit.

Das Leben eines jungen Mannes, der in schlichten Verhältnissen in einer kleinen schwäbischen Stadt aufwächst und sich in den Kopf gesetzt hat, Skulpturen zu machen, Figuren aus dem Holz oder aus dem Stein zu holen, Bilder zu malen. Der auf diesem Weg unauffällig und unnachgiebig Widerstände bricht. Er findet gleichgesinnte Freunde, Grieshaber, Richard Raach, Hermann Grimmer und Werner Oberle. (Unlängst gedachte das Schiller-Nationalmuseum in Marbach in einer eindrucksvollen Ausstellung des Freundeskreises.) Ruoff verleugnete seine Herkunft nie. Er nahm sie als Auftrag, verbündete sich in seinen frühen Arbeiten mit den Hilflosen, an den Rand Gedrängten, Verfolgten. Kaum hatte Hitler die Macht ergriffen, wurde er für ein paar Wochen auf den Heuberg geschleppt, ins Konzentrationslager. Von dort entlassen, mußte er in Nürtingen, seiner Stadt, die Straße kehren. Er hielt durch, und er hielt still, beugen ließ er sich nicht. Mit Grieshaber lernte er bei dem Bildhauer Alfred Lörcher.

Das alles erzählte er. Nicht in einem Zug. Und meistens auch nicht auf Befragen. Zeitungen, Zeitschriften, Bücher, Bilder regten ihn dazu an. Zum Beispiel ein Exemplar der »Roten Fahne« oder eines jener Flugblätter, das »Gries« während der Nazizeit auf einer alten Presse im Elsaß gedruckt hatte. Da fand ich ein Gedicht von Jakob Haringer, das mir nicht mehr aus dem Kopf ging. Zwei Zeilen daraus wählte ich als Motto für mein erstes Gedichtbändchen: »Aber des Herzens verbrannte Mühle / tröstet ein Vers.« Fritz Ruoff steuerte Zeichnungen bei.

Wir spazierten viel. Während er arbeitete, las ich.

Wachsam, sensibel, verfolgte er die Entwicklung, ohne Neid und Hohn; bitter jedoch sah er dem Aufstieg der Vergeßlichen zu. Er wollte und konnte nicht vergessen, bis auf den Tag. Er, dieser Biograph der Felder und Feldwege, der Wiesen und Wälder um Nürtingen, in dem er sein Leben verbrachte, er ermißt die Verluste, leidet unter dem Siechtum der Natur, und Wolfgang Borcherts »Sagt nein« war für ihn nicht die Formel der Stunde Null, sondern die der Stunde, die uns schlagen wird. Als ich 1983 von der Blokkade in Mutlangen heimkam, die Euphorie den Zweifeln wich, schickte er einen Siebdruck – ein schwarzes Kreuz vor einer gespaltenen Rakete – und setzte ein abgebrochenes Gespräch dort fort, wo ich seine Hilfe nötig hatte. Wie damals, 1952, als ich nicht weiterwußte, im Trotz feststeckte und er mir auf die Sprünge half, mich förmlich forttrieb. Lern weiter bei anderen, entdecke, reib dich, füll deinen Kopf mit neuen Sätzen und Bildern!

Vor ein paar Monaten habe ich diesen Aufbruch beschrieben. Da Ihr die Geschichte noch nicht kennt, trage ich sie, für Euch, hier nach:

Was soll aus dir werden? Was hast du vor? fragte er. Und wußte auch gleich Rat, schürte mit einem Stichwort meine Hoffnungen: Gries, sagte er. Das war ein Wunderkürzel. Hinter ihm verbarg sich ein Magnet, ein Verwandler, ein Meister. Grieshaber, sein alter Weggefährte, umstritten und berühmt, auf der Achalm hausend, seit einiger Zeit Mentor und Mittelpunkt einer »Schule« auf der Alb.

Ich habe Gries von dir erzählt, sagte er. Er lädt dich ein, es auf dem Bernstein zu versuchen. Das hieß: Ich durfte auf Grieshabers Schule.

Damals brauchte ich für Aufbrüche und Abschiede nicht mehr als einen Tag. Fritz und Hildegard Ruoff verhießen mir Aufwind, neue

Freunde; Großmutter zweifelte an meinem Verstand. An solche Wechselwünsche war ich gewöhnt. Ich erinnere mich nicht mehr an die Fahrt, nur noch an die Ankunft. Ruoff hatte mich telefonisch angekündigt. An der Bushaltestelle erwartete mich ein jüngerer Mann, dessen melancholische Aura mich sofort anzog, aber auch einschüchterte. Er heiße Ludwig Greve. Ich wußte von ihm, eines seiner Gedichte stand auf einem Bernstein-Flugblatt, das mir Ruoff geschenkt hatte. Strenge, ihrer schönen Bilder bewußte Verse. Er war der erste Dichter, dem ich begegnete. Und so, wie er jetzt neben mir herging, hatte ich mir einen Dichter auch vorgestellt. Leise, bestimmt, höflich. Die Zigarette wippte im Mundwinkel, wenn er sprach. Er war mir in Erfahrung und in Leiden weit voraus, hatte, ein junger Jude, vor Hitler aus Berlin fliehen müssen, war kundig in Fluchten, Zufluchten und, empfand ich, noch immer unterwegs: »Soll die sammeln, die / erröten können soll / in Hinterhäusern / Lächeln / illegal verteilen und / soll singen«, hatte er geschrieben. Zeilen, die ich als brüderlichen Zuruf empfing. Ich sah ihn verstohlen von der Seite an, das klare, ein wenig abweisend scheinende Profil, und dachte mich in Gespräche hinein, die noch gar nicht geführt waren. Der Bernstein sei bis ins 19. Jahrhundert ein Kloster gewesen, später ein Gehöft, das im übrigen noch immer bewirtschaftet werde. Die Schule befände sich im oberen Stockwerk des weitläufigen Baus.

Nein, eine Schule war das nicht.

Ich wanderte mit meinem Dichter durch lange, kühle, weißgetünchte Gänge, klopfte an Türen, trat in Zellen, Ateliers, Schlupfhöhlen, lernte Max und Margot Fürst kennen, den Bildhauer Kruse, betrachtete in der leeren ehemaligen Kirche Grieshabers »Schmerzensbild«, kein Schüler, eher ein Pilger, – und dann schloß sich die Tür meiner Zelle hinter mir.

Ich hielt den Atem an. Ich hielt an.

Bis zum Abend blieb ich für mich, saß am Fenster, schaute hinüber zum Wald vor dem winternahen Himmel, las nicht, schrieb nicht, ließ meine Gedanken ungeordnet und genoß es, eine Grenze überschritten zu haben, an der ich langgehastet war, die mich geplagt hatte und die ich erst im nachhinein als Grenze begriff.

Dann riefen sie nach mir.

Dann fragten sie mich aus.

Dann zeigte ich ihnen meinen Ausweis, die Korrekturfahnen des Gedichtbändchens. Sie lasen meine Gedichte und gaben sie mir wortlos zurück. Ludwig Greve erzählte von Israel, von Lucca, seinem und Heines zeitweiligem Exil. Max Fürst erzählte von Schränken und Tischen, von Holz. Kruse erzählte von Ziegelsteinen, in die Schriften und Gestalten eingebacken waren.

Und sie alle erzählten von Grieshaber, von Schwöbel, von Quinte, von Riccarda Gregor, von jenen, die den Bernstein verlassen hatten und nur gelegentlich wiederkehrten, um zu feiern, zu planen, sich im Widerstand gegen die unbelehrbare, sich erneut in Intrigen verstrickende Welt zu stärken.

Ihre Erinnerung hörte ich schon als Legenden. So auch die Geschichte von Carl Orff, der dem Bernstein zugeneigt war und der, nachdem er sich von seiner Frau getrennt hatte, eine Zeitlang auf ein paar zusammengerückten Schränken wohnte; ein spöttischer Eremit, der sich ein Lied auf die vergangene Liebe gemacht hatte, das auf dem Bernstein bei Tag und Nacht geträllert wurde: »Als die Treue ward geboren«.

War ich zu spät gekommen?

Max Fürst nahm sich meiner an, ein weiser Lehrer. Viele Jahre später schrieb er »Gefillte Fisch«, ein Lebensbuch, in dem Güte und Witz mit jedem Satz der Bitterkeit und der Gemeinheit gewachsen sind. Oft besuchte er mich; oft saß ich bei ihm. Er könnte mich an die École d'Humanité in Genf vermitteln, die von seinem Freund Paul Geheeb geleitet werde. Das sei eine wunderbare Schule, weil es keine sei, sondern eine

Gemeinschaft von Kindern aus aller Welt. Du bist zu lange allein gewesen, du brauchst Menschen.

Ich wehrte mich. Ich war noch nicht fertig. Ich hatte die Gemeinsamkeit noch nicht gelernt. Und ich spürte, wie sie sich zurückzogen, es aufgaben, mich für eine Zukunft zu gewinnen, der ich nicht vertraute. Die Post an *meine* Zukunft war schon unterwegs: meine Gedichte.

Sie ließen mich ohne Einspruch ziehen. Mein Dichter begleitete mich zum Bus, winkte mir nach. Auf der Heimfahrt war mir beklommen zumute, so, als hätte ich auf dem Bernstein etwas vergessen oder etwas Wichtiges nicht erfahren. Mittlerweile ist mir klargeworden, daß ich auf Grieshabers Schule meine Reifeprüfung nachgeholt habe, doch nie erfuhr, ob ich sie bestand.

Warum erzählst du uns von deinen Freunden, von Erich Rall, Fritz Ruoff, Martin Lörcher, Alexander Besser, vom Bernstein, werdet Ihr vielleicht fragen. Sicher nicht, weil ich auf dieser Reise meine Vergangenheit streifte, Menschen wieder begegnete, die mir, wie eine alte schöne Wendung sagt, teuer sind – nein, mir ist klargeworden, daß ich ohne sie, ohne ihr Gedächtnis und ihre Entschiedenheit im Umgang mit unserer Geschichte, mit Euch anders gelebt, Euch anders »erzogen« hätte. Daß wir solche Gefährten brauchen, die, ohne daß Ihr es wissen müßt,

44

auch Eure Gefährten sind. So setzen sich Verstehen und Verständnis fort.

6. 4. 86

Ich atme auf, wenn Ihr einschwärmt, lärmt, ohne Punkt und Komma Geschichten erzählt, deren Anfang wir nicht kennen und deren Ende Euch schon wieder egal ist, hungrig sofort in den Kühlschrank schaut oder in die Töpfe auf dem Herd, ans Telefon stürzt, sofort aller Welt kundtut, wo Ihr Euch eben aufhaltet, Fabian mit Clemens debattiert, wann die Katzen, Berlau und Brecht, auf den Hof entlassen werden sollen und Ihr mich damit aufbringt – es ist durch keine Bitten, keinen Wutausbruch zu ändern –, daß Ihr Eure Siebensachen, Taschen, Pullover und Jakken einfach irgendwo im Zimmer fallen laßt –, es ist ein Wirbel, in dessen Zentrum sich Glück verfestigt: Wie Friederike und Anette, die vor fünf Tagen mir nichts dir nichts in ihrem kaputten kleinen Fiat in die Bretagne aufgebrochen waren, sie hätten doch Ferien, dort tatsächlich fünf Tage lang von der Sonne begünstigt wurden, während wir hier beinahe im Regen ersoffen, wie sie gestern nacht heimkamen, erwartet von uns, von Sophie, der die Rike fehlte, von Fabian, der müde war vom Spätdienst auf der Intensivstation und Karsten aus Darmstadt mitbrachte, wie die beiden Mädchen förmlich Meer und Sonne hinter sich herschleiften und dann

45

ihre Geschenke ausbreiteten, ein ganzes Körbchen frischer Austern, Crevetten: Für Euch, alles für Euch!

Wir aßen, ließen uns erzählen.

Nur elf Stunden haben wir für die Fahrt gebraucht, mit dieser Schüssel, ist doch toll!

Es ging bis tief in die Nacht, obwohl Fabian um halbsechs raus mußte, Frühdienst im Wechsel, aber kann man einfach aufhören, wenn plötzlich Erinnerungen wach werden: Wißt Ihr noch, wie wir damals mit Gieses in St. Père … und Mechthild, als wollte sie den längst vergangenen Sommer wiederholen, vom Lavendel auf der Terrasse schwärmte und leise bemerkte: Damals wart Ihr noch Kinder, die Sophie ein Winzling … Seither kommt Ihr von diesem Landstrich nicht mehr los. Wer weiß, was Ihr dort sucht. Ich frage lieber nicht nach. Der Zauber könnte durch eine einzige Frage verlorengehen.

1. 12. 85

Es sind ja keine Streitgespräche, die wir miteinander führen. Was unsere Unterhaltung manchmal quälend und für alle anstrengend macht, ist unsere Ratlosigkeit. Bei manchen Themen kommen wir nicht weiter: Die längst polarisierte Meinung über den Frieden. Die Vorstellung vom technischen Fortschritt. Das Nord-Süd-Gefälle. Die Ausbeutung der armen Länder durch die Reichen. Die auftrumpfende Sattheit und der Hunger. Wir haben nicht die Informationen, über die, wenn überhaupt, Minister, Regierungsbeamte, Industriebosse oder Geheimdienstler verfügen. Ich lese Nachrichten, lasse mich von ihnen erschrecken, gehe mit ihnen um. Manchmal verdrießt mich meine Unwissenheit. Da seid Ihr noch lockerer. Ihr ergreift rasch Partei, könnt ebenso rasch revidieren und vergessen.

Doch was heute geplant, vorbereitet und festgelegt wird, wird Euer Leben bestimmen. Wenn Ihr nicht unerhört wachsam bleibt, Euch nicht Wissen aneignet, lernt, wenn Ihr nicht Eure Phantasie trainiert, Eure Vorstellungskraft erweitert, seid Ihr am Ende nur die Opfer der Planer von heute, deren Mittelmaß sich in ihrer ökonomischen Abhängigkeit, ihrer bübischen Kraftprotzerei und ihrer mangelnden Fähigkeit zu Entwürfen, zu Visionen offenbart. Ihr müßt lernen, einzugreifen, die Chancen dazu werden Euch geboten.

Mehr und mehr werden sich die Regierungen der Industrienationen mit den Technologen verbünden, aus ökonomischen, aus militärischen Gründen. Das für die Macht nötige Wissen wird sich, darauf zielt die Entwicklung, in wenigen Zentren konzentrieren, und das Wissen wird wohldosiert (und bestimmt nicht nach Bedarf) nur dann an die schwächeren Nationen abgegeben werden, wenn sie sich gefügig zeigen.

Dennoch werden sich die Mächtigen keineswegs unangefochten fühlen. Ihr Mißtrauen wird wachsen. Sie werden ein Netz von Kontrolleuren, Spitzeln, Ordnungshütern über die Gesellschaften auswerfen. Das läßt sich jetzt schon erahnen. Ihr habt es, an der Startbahn, selbst beobachtet und mitbekommen: Der Staat schützt seine Errungenschaften mit einem unverhältnismäßigen Aufgebot von Polizei, Zivilbeamten, uniformierten Kameraleuten gegen aufbegehrende Bürger. Er läßt es gar nicht erst zu einem Gespräch kommen, verweigert einen Austausch von Informationen, Kenntnissen, beharrt unerbittlich und gewalttätig auf seinem Vor-Wissen. Die dann attackierten (im Grunde doch nur mit Nachdruck befragten) Politiker reagieren empört, ungenau, und die Sache, um die es geht, verschwindet hinter Wortschwaden.

Die Renitenz der Bürger, ihre aktiv gewordene Nachdenklichkeit macht mir Hoffnung. Ob es Pazifisten, Friedensbewegte, Naturschützer, Atomgegner, Frauen sind: alles Gruppen, die Verordnungen, Weisungen, Beschlüsse nicht mehr fraglos hinnehmen, die lernbegierig sind, sich zusammenschließen, ihre Widersprüche widerständig organisieren. Um so erschreckender

die mangelnde Sensibilität der Administratio-
nen. Vor Jahren, als die ersten Bürgerinitiativen
entstanden, wurden sie mitunter von den Verwaltungen unterstützt. Das kommt so gut wie
nicht mehr vor. Mit allen Mitteln (und es sind
häufig schmutzige) werden die Fragenden, die
Zweifelnden an den Rand gedrängt, verun-
glimpft, in ihren Absichten verdächtigt und kri-
minalisiert. Das schmerzt und reißt auseinander.
Viele geben nach, geben auf, Gemeinsamkeit
geht verloren. Doch wenn wir davonkommen
wollen, müssen sich Unruhe und Empfindlichkeit rund um den Erdball ausbreiten wie ein hei-
lendes Fieber. Das ist unsere, Eure Chance.

Ich rechne mich nicht zu denen, die die Arbeit
der Parlamente außer Kraft setzen wollen. Nur
mußte ich zusehen, wie Politiker, die ich durch-
aus schätze, denen ich Eigensinn zutraue, sich
außerordentlich schnell von der Wirklichkeit,
die sie zu vertreten haben, entfernen. Sie werden
durch Sicherheitsmaßnahmen geradezu ent-
rückt. Und sie fragen sich nie, warum sie diesen
Schutz brauchen, warum der Terrorismus eine
Blutspur in vielen Ländern hinterläßt, warum es
Menschen aufgegeben haben, zu reden, hinzu-
hören und nur noch blindwütig morden. Diese
mörderische Wut muß doch ihre Ursachen haben. Sie greift doch nicht um sich, weil immer
mehr Frauen und Männer die Lust verspüren,
sich als Killer ausbilden zu lassen und das Leben
von Jägern und gleichzeitig Gejagten zu führen.

Das ist keine rätselhafte Zeiterscheinung. Sie ist ganz einfach zu erklären. Die großen, für uns alle wichtigen politischen Entscheidungen werden von einer kleinen Elite vorbereitet und von denen, für die sie getroffen werden, nicht mehr verstanden und getragen. Die Verquickung von Technologie und Politik sorgt dafür, daß Projekte undurchschaubar werden. Was bedeutet SDI? fragen wir uns und wehren uns, denn wir ahnen, daß auch die, die darüber zu urteilen haben, nur andeutungsweise Bescheid wissen. Und wieder haben wir es mit einer unerreichbaren, in ihren Verlautbarungen menschenverachtenden Gralsversammlung zu tun.

Können wir bei den modernen Gralshütern wenigstens Lauterkeit und Moralität voraussetzen? Sie führen uns das Gegenteil vor: Regeln des Anstandes gelten nicht mehr, wenn es um ihre Vorteile geht. Diktatoren sind nur dann welche, wenn sie zum andern Block gehören. Die gefügigen Volkspeiniger werden nach allen Kräften und mit allen finanziellen und militärischen Mitteln unterstützt, und wenn sie's zu schlimm treiben, sorgen die Intriganten und Mörder der Geheimdienste dafür, daß sie verschwinden. In solchen Fällen ist Terrorismus dann erwünscht.

Wo endet diese Spirale von Eigennutz, Ausbeutung, Gewalt, Gesetzesmißachtung und Unmenschlichkeit? Sind das die politischen Programme und Entwürfe, die uns eine Zukunft weisen? Ich schildere Euch eine finstere, verödete Gegend, in der räuberische Wesen die Muskeln spannen und sich gegenseitig auflauern. Und doch möchte ich Euch ermutigen. Warum sollten in einer Epoche, in der Nachrichten und Botschaften die Kontinente sekundenschnell verbinden, nicht neue, unsere Anschauung, unsere Vorstellung, unsere Ideen verändernde Bündnisse entstehen? Warum sollte die Einfallskraft, die das Leben meint, nicht Vernichtung und Tod, mit einem Mal versiegt sein? Könnten nicht die Hungernden, die Verachteten der Dritten Welt sich mit den in ihrem Wohlstand Verelendeten der Industrienationen vereinen? Kann es nicht sein, daß jene, die aufgewühlt zusehen, wie ihre Umgebung von Unrat und Giften verheert wird, zu denen finden, die an Leib und Seele ausgebeutet werden? Kann es nicht sein, daß es um *eine* Sache geht: ums Überleben und ein tatsächlich menschenwürdiges Leben? Es wäre ein Anfang.

2.12.85

Inzwischen sind Mechthild und ich aus Rom heimgekommen. Ich las dort an der Universität und an der Deutschen Schule, wo wir Euren Darmstädter Deutschlehrer wiedertrafen, der uns, mit seiner Frau, durch die Stadt führte, begeistert und kundig. Wir haben Euch schon viel davon erzählt. Über das jedoch, was mir am meisten nachgeht, habe ich noch nicht gesprochen: Die Menschen dort leben nicht weniger bedroht, nicht weniger in der Furcht als wir. Fast täglich werden Politiker, Richter umgebracht. Hinter einem Schutzschirm von Gerüchten übt die Mafia ihre bedrohliche Macht aus. Korruption, faule Geldgeschäfte sind an der Tagesordnung. Passierte das alles in unserem Land, wäre die Polizei allgegenwärtig. Dort ist sie es nicht.

Wir wohnten im »Raphael«, in einem verwunschenen, sehr bequemen Hotel in der Nähe der Piazza Navona. Stets standen zwei Polizisten in der Nähe des Eingangs, nicht sonderlich wachsam. Sie unterhielten sich mit Passanten, versuchten mit vorbeikommenden Mädchen zu flirten, achteten kaum auf die Leute, die das Hotel betraten. Nur wichen sie nicht. Den Tag darauf erkundigte ich mich beim Portier, weshalb das Hotel bewacht werde. Er antwortete verblüfft: Ja, wissen Sie denn nicht, daß Ministerpräsident Craxi bei uns wohnt, wenn er seinen Amtsgeschäften in Rom nachgeht? Der ihm zustehende Amtssitz ist ihm zu aufwendig. Abends sah ich Craxi dann auch inmitten einer Gruppe von lachenden, gestikulierenden Männern in der Bar. Das könnte ich mir bei uns nicht vorstellen. Eine »Sicherheitsschleuse«, die ins Hotel führte, wäre das mindeste.

Aber nicht dieser Unterschied beschäftigt mich. Sondern die Lebenslaune und Lust der Römer. Sie sind bestimmt nicht weniger egoistisch und ellenbogentüchtig als wir, aber sie sind – ich finde dafür kein anderes Wort – nachsichtiger. Und diese, aus einer langen urbanen Erfahrung gewonnene Fähigkeit zur Nachsicht läßt Raum, läßt Atem.

1.3.86

Olof Palme wurde ermordet. Die Freizügigkeit, auf der er bestand, die Freiheit, die er sich nahm, wurden ihm zum Verhängnis. Traurig lese ich wieder, was ich Euch über Craxi schrieb, die beiden lässigen Polizisten vorm Hotel. Das also ist schon eine Herausforderung, ist kaum mehr möglich. Wenn dem so wäre, bomben und schießen wir uns auf die Distanz, die ich beklage, die jedem Gemeinwesen schadet. Die Nähe, die wir nötig haben, das Geflecht von Leben, Denken, Planen, Wandeln wird aufgegeben zugunsten einer Sicherheit, die trennt und das Geflecht zerreißt. Olof Palme wußte das. Er, der sich entschlossen wie wenige Regierende für Abrüstung einsetzte, einen Frieden ohne Drohung und Gegendrohung, wurde dafür bestraft. Wieder waren die Wölfe unterwegs. Daß die unbelehrbaren Raketenreiter jetzt ihre Trauer bekunden, widert mich an. Es sind die üblichen Rituale von Gewissenlosigkeit. Aber wir, für die er sprach und handelte, sind ärmer.

Freiburg, im Hotel. Ich habe gefrühstückt; es ist
noch Zeit bis zur Abfahrt des Zugs. Um den Fa-
den nicht zu verlieren, las ich noch einmal die
letzten Seiten meines »Briefs« an Euch und erschrak, wie wenig es mir gelingt, Euch und mich
zuversichtlich zu stimmen. Ich will Euch nicht
beraten, Euch nicht in Eure Pläne hineinreden.
Eher ein bißchen mitdenken. Ihr fangt eben an.
Arbeitslosigkeit und Numerus clausus haben
Euch zwar eingeschüchtert, Euern Schwung ge-
bremst, aber ich bin sicher, daß Ihr mit Neugier
und Phantasie Arbeit findet, die Euch erfüllt,
Arbeit, wie ich sie mir vielleicht noch gar nicht
ausmalen kann. Ich bin auch sicher, daß viele Be-
griffe, an denen wir heute hängen, die unser
Denken bestimmen, ihre Bedeutung verändern
werden.

In abgeschirmten riesigen Labors werden Tech-
nologien gleichsam gedankenlos und amoralisch
vorangetrieben. Die Regeln und Gesetze, die sie
erfordern, mit denen wir sie bändigen können,
haben wir noch nicht einmal andeutungsweise
gefunden. Mit Genen wird gespielt, mit biologi-
schen Formeln, Leben wird verpflanzt, chemische Waffen werden erfunden, Strahlenwaffen,
Geschwindigkeiten werden erhöht, der Weltraum wurde und wird erkundet. Im Laufe von
wenigen Jahrzehnten gelang den Industrienationen dieser Entwicklungssprung. Nur wenige ha-

ben sich bisher die Mühe gegeben, nach-zuden-ken. Da ist es nur zu verständlich, daß die Indu-striekonzerne ihr Wissen als Macht verstehen und sie, ohne auf Regeln und Gesetze zu achten, ausspielen. Der Profit gilt auch noch unter der apokalyptischen Bedrohung.

Unsere Generation hat hier versagt. Sie hat ge-forscht, entdeckt, aber ihr Weltverständnis be-schränkt sich auf die Ausmaße eines Sandka-stens, in dem man »ich bin der Starke und du bist der Schwache« spielt. Die Last, hier einen Wan-del zu schaffen, liegt nun auf Euch. Es ist eine üble Mitgift. Von Euch wird verlangt, dort zu denken, wo die anderen spielten. Nicht mehr nachzuholen, sondern einzuholen. Es wagen, das Undenkbare zu denken und ihm Regeln zu geben, Gesetze zu formulieren, die Einhalt ge-bieten. Im Grunde verlangen die neuen Techno-logien einen neuen Menschentyp: Intellektuell so kühn, daß er die Früchte seines Intellekts in Frage zu stellen bereit ist; geübt in der Gewaltlo-sigkeit; trainiert in Friedfertigkeit; anspruchs-voll für den Anderen, weniger für sich selbst.

Was wird da, nachdem wir versagten, von Euch verlangt? Aber wenn wir zusammen noch anfin-gen –?

9.4.86

Einer der ersten warmen, sonnigen Tage in diesem Jahr. Mechthild arbeitet im Garten. Die Azaleen blühen, die Krokusse zwängen ihre weißen Köpfe durchs alte Laub. Es ist ein guter Zeitpunkt, den Brief zu schließen. Am Wochenende werdet Ihr mit Euren Freunden kommen, und irgendwann, wie zufällig, werden wir uns zusammensetzen, dem Teufel, dem sprichwörtlichen, das Ohr abschwätzen. Und während ich zuhöre, meine Gedanken wandern, hoffe ich, daß dies noch oft geschehe.

Es sind die Wünsche eines Glücklichen. Und es ist ein in seiner (sagt ruhig: naiven) Beständigkeit angefochtenes Glück. Ich umarme Euch, Fabian, Friederike, Clemens, Sophie. Und zu Mechthild gehe ich jetzt in den Garten hinaus.

Beilage

Tübinger Rede am 15.11.1985

Meine Damen und Herren,

der Preis, den bekommen zu haben mich freut
und für den ich herzlich danke, wird von einer
»Stiftung zur Förderung der geistigen und
künstlerischen Arbeit« vergeben. Das ist eine
hochgemute, mich freilich beunruhigende
Selbsterklärung. Was versteht, frage ich mich,
die Stiftung unter »geistiger und künstlerischer
Arbeit« und wie versteht sie sie? Jetzt, im Jahre
1985. Wird hier nicht womöglich ein Oasenkult
betrieben, der uns die stetig wachsende Wüste
für Augenblicke vergessen läßt? Nicht eine Wüste, in der Hunger und Durst herrschen, sondern Sattheit und Gedächtnisschwund, Anmaßung und Mittelmaß. Was können Geist und
Kunst da noch ausrichten?

Ich will schwarz malen, um der Hoffnung wil-
len.

Vor mehr als hundert Jahren begann sich die Geschichte der Menschen zu beschleunigen, in den

letzten fünfzig geriet sie ins Rasen. Ein Wunder nach dem andern geschah. Es wurde entdeckt und erfunden. Das winzigste Partikel wurde groß, und das Große schrumpfte zur Belanglosigkeit. Atom und Erdball begannen sich zu messen. Strahlen durchdrangen Wände und Körper, und das Unsichtbare wurde sichtbar. Entfernungen schmolzen. Der Traum des Ikarus erfüllte sich, und der Mann im Mond wurde wahr: es war ein Astronaut. Einer von denen, die in kindlichem Staunen auf den blauen Planeten hinuntersahen, diesem von Leben und Geschichte erwärmten Stern.

Intelligenz speicherte sich in Maschinen, schließlich auf daumengroßen Plättchen, und Ereignisse auf der andern Erdhälfte wiederholen sich in Sekundenschnelle auf dem Bildschirm in unserem Wohnzimmer. Die Waffen, immer tödlich, ob als Faustkeil oder als Stalinorgel, meinen seit Hiroshima nicht mehr den einzelnen, den namenlosen Feind, sondern uns alle – –

Hier halte ich ein, einem Läufer gleich, dem der Atem ausging.

Wie weiter? In diesem Tempo?

Habe ich von Büchern gesprochen, von Bildern, von Musik? Von Entwürfen? Von Philosophie? Von Religion?

Das alles bleibt, wenn überhaupt, peripher und droht uns verlorenzugehen.

Was sich beweisen läßt.

In der zweiten Hälfte des 18. Jahrhunderts verlor der christliche Glauben an Kraft, die Aufklärung wirkte, die Vernunft hatte ihre Chance, der neue Weltbürger wollte keine Grenzen mehr kennen und zog sie, aus Vernunft, von neuem, den Glauben ersetzten die Ideologien. Die Revolutionen, die den Menschen zu befreien trachteten, installierten im Laufe der Zeit mächtige Bürokratien, um den Bürger, den sie weckten, in Schach zu halten. Auch in den demokratischen, den kapitalistischen Staaten nehmen die Verwaltungen mittlerweile überhand, und die Freiheiten brauchen mehr und mehr Erklärungen.

Ohne Zweifel ist auch das Zeitalter der Ideologien an seinem Ende angelangt. Nach allen Erfahrungen könnten wir nun von einem der Technologie sprechen. Der Meinung bin ich nicht. Diese Epoche haben wir gleichsam übersprungen. Sie unterlief uns. Wir merkten sie kaum, erkennen sie erst an ihren Ergebnissen.

Was für uns anbrach und was uns tief erschrekken sollte, ist eine Epoche des *finalen Paradoxons*, des großen Bewußtseinsrisses. In allem, was wir treiben, was wir denken, was wir uns erläutern, drückt sie sich aus:

Je intensiver die Verhandlungen um Abrüstung, um so höher die Waffenberge;

je reicher die reichen Nationen, um so ärmer die armen;

je dichter das Informationsnetz, um so dürftiger die Bildung;

je weitreichender unser Wissen, um so eingeschränkter unsere Fähigkeit, es zu unseren Gunsten zu nutzen;

je entwickelter die Technologie, um so höher die Zahl der Arbeitslosen;

je deutlicher die Schäden der Natur, um so fahrlässiger unser Umgang mit ihr;

je inständiger die Bitten um Frieden, um so brutaler die weltweite Aggression;

je komplizierter die politischen Vorgänge, um so kläglicher das Niveau führender Politiker –

oder:

wir propagieren, noch verwöhnt von Erfolgen, unseren Kindern eine aussichtsreiche Zukunft und haben sie ihnen schon entzogen;

wir berufen uns, aus Gewohnheit, auf die Liebe zum Nächsten und üben und lehren nichts als Egoismus;

wir sehen bei denen, die wir unsere Partner nennen, klaglos zu, wie sie morden und foltern, und werfen es jenen, die wir zu Feinden haben wollen, vor;

wir berühmen uns in Verträgen unserer Friedfertigkeit und lassen es, aus Opportunität und Rentabilität, zu, daß ein großer Teil unserer Industrie vom Rüstungsgeschäft abhängig ist;

wir, denen die Disketten bald das Buchstabieren abnehmen werden, halten uns, handelnd und planend, an das vertraute Prinzip: Heiliger Sankt Florian, verschon mein Haus, zünd andre an.

Das Haus des andern wird auch das unsre sein.

Es ist nicht mehr weit bis zur Klippe der Lemminge.

Und doch ... sage ich zögernd: Und doch –

Womit ich keineswegs nur nach der kühlen Schwester Vernunft rufe. Sie hat sich oft genug maskiert und uns verweigert.

Wir brauchen mehr, um uns aufzuhalten.

Die Philosophie ist uns, die wir uns ganz aufs Machbare konzentrierten, abhanden gekommen, die Fähigkeit zum Entwurf, zur veränderten, verändernden Sicht, zum rettenden Satz.

Wir trauen uns zu wenig zu, weil uns zuviel gelingt.

Und die unerbittlichen Verwalter des Fortschritts mißtrauen wiederum denen, die querdenken, die aufschreien, die sich mit Sätzen widersetzen.

Wir brauchen aber neue Ein-Sätze, Entwürfe, Bilder, die uns Einhalt gebieten, uns in Erinnerung rufen, was wir sein könnten, woher wir kommen und was wir vertan haben: Bilder, reich an Szenen, in denen der Mensch, endlich erwachsen geworden, sich erfüllt, Entwürfe, in denen die Natur, ausgesöhnt, uns einschließt in ihren Fortgang, Landschaften, unbeschädigt und unter einem heilenden Licht, weit, den Kindern gut: »Mit Stimmen erscheinet Gott als / Natur von außen. Mittelbar in heiligen Schriften. Himmlische sind / und Menschen auf Erden beieinander die ganze Zeit.« So ersehnte es Hölderlin.

Ich spreche hier, in dieser freundlichen Umgebung, schon weniger fürs Leben als fürs Überleben, dafür, daß Geist und Kunst nicht Accessoires einer in ihren Widersprüchen verfangenen Welt bleiben, sondern eben alle diese Widersprüche in all ihrer Unmenschlichkeit und Finsternis offenbaren.

Das ist, ich weiß, mehr als ein Traum. Da befinde ich mich schon am Rande des Glaubens.

I have a dream, begann Martin Luther King seine Rede, in der er seinem Volk die Freiheit versprach. Es war eines jener Versprechen, das den Widerspruch aufbrach. Er wurde dafür umgebracht.

Ein quälendes Paradoxon mehr.

Eine Botschaft auch: Ich habe einen Traum –. Unsere berstende Wirklichkeit wartet auf solche Träume.

RadiusBibliothek

Herausgegeben von Wolfgang Erk

Die besondere Reihe meisterhafter Kleinprosa
– hervorragend ausgestattet –:
besonders sorgfältiger Satz, gedruckt auf gutes Papier,
Fadenheftung, gebunden in echtes dunkelblaues Leinen!

Wir senden Ihnen gern unseren ausführlichen Prospekt:

RADIUS-Verlag
Kniebisstr. 29 · 7000 Stuttgart 1 · Tel. 0711/28 30 91